지금쯤 에펠은 반짝이고 있겠네

지금쯤 에펠은 반짝이고 있겠네

초판 1쇄 인쇄 2018년 11월 21일
초판 1쇄 발행 2018년 11월 28일

지은이 김유진(@yoojinkim)

발행인 장상진
발행처 (주)경향비피
등록번호 제2012-000228호
등록일자 2012년 7월 2일

주소 서울시 영등포구 양평동 2가 37-1번지 동아프라임밸리 507-508호
전화 1644-5613 | **팩스** 02) 304-5613

© 김유진(@yoojinkim)

ISBN 978-89-6952-308-2 14980
       978-89-6952-311-2 (SET)

지금쯤 에펠은 반짝이고 있겠네

김유진
@yoojinkim

사색
유람

경향BP

나의 여행수첩에 이름을 붙여야 한다면
'취미는 궁상, 특기는 사랑 타령' 정도로 할까 해요.

필름을 아끼고 싶은 마음과
보이는 것 모두를 담고 싶은 마음이
묘하게 섞여서 그런가 보다.
흔들려도, 초점이 맞지 않아도, 담으려던 것을 담지 못해도
필름사진에 마음이 가는 이유.

사랑하는 사람과 꼭 사랑하는 도시에 갈 거다.
내가 가장 사랑스러워지는 그곳,
나의 가장 예쁜 순간을 너에게 보여줄 거야.

내가 오늘 사랑한다 말했던가요?
"아니요."라 답하고 다시 들을 거예요.

불어오는 바람에,
오히려 너의 향이 짙어지던 그때에.

무언가를 담으려 카메라를 든 순간,
계산에 없던 빛이 내게 내리던 그때.
무심코 고개 든 그 순간,
길 너머의 널 발견했던 그때와 같이.

꽃보다 당신의 옆모습을 더 사랑하여…….

뭐 그리 재미있는지

휴대폰을 한참 보는 너를 따라 고개 기울여 본다.

딱히 네가 뭘 보는지 궁금하지는 않아.

곁에서 더 가까운 곁으로 갈 수 있는 이 시간이 좋다.

해가 바라봐주어 반짝이던 호수의 시간,

네가 바라봐주어 빛나던 나의 시간.

파도를 닮고 싶었던 구름,
당신을 닮고 싶었던 나.

당신이 들여다보는 것들을 조금 더 유심히 들여다보기.
당신을 사랑하는 나의 일.

나도 당신도 나이 들어가지만

당신을 바라보는 내 표정은 나이 들지 않아요.

네 쪽에서 내 쪽으로 불어오는 바람이 좋아.

너를 지난 바람이 다른 곳으로 갈 겨를 없이 내게 오잖아.

바람이 흔들던 바다.
바다에 흔들린 마음.

혼자라면 가지 않을 길.

함께라서 흔쾌히 걷는 길.

사랑은 계절을 타지 않아서.

사랑한다 하려다
말없이 옆얼굴만 보았다.
그런 날이 여럿 있었다.

사랑하는 사람과 함께 늙어간다는 것은 어떤 느낌일까. 한 해
한 해 지날수록 그어지는 내 얼굴의 주름 하나, 또 당신 얼굴
의 주름 하나. 늙고 초라해지는 내 얼굴처럼 함께 그러해지는
당신 얼굴 바라본다는 것은 어떤 기분일까.

시차.

철저히 혼자인 밤이 벌써 나흘째. 피곤한 몸으로 들어와 어깨
에서 짐 하나둘 내려놓고, 삭막해서 음악을 틀어놓고, 그렇게
침대에 누워 이리 뒹굴 저리 뒹굴 하다 보면 문득 연락하고 싶

어질 때가 수없다. 한가득 마음 담아 썼다가는 '아, 거긴 새벽
이 아니지.' 하고서.
아, 이 새벽감성, 새벽궁상이 통하지 않는 곳에 있지, 너는.

나는 첫사랑을 봄에 하였다.

꽃 아래서 그 아이의 손을 잡고 걸었다.

나는 내 왼쪽 얼굴이 조금 더 예쁜 것 같아

언제나 그 아이의 오른손을 잡고 걸었다.

그렇게 바라보게 된 그 아이의 오른쪽 얼굴,

사랑하던 옆모습이 있었다.

———

나란한 두 사람을 두고
고독이 되는 그림은
잘 없었다.

"괜찮아졌어요."

"좋아져야지, 괜찮아지는 게 아니라."

———

결말이 이별로 남은 사람과의 좋은 추억은
어떻게 곱씹어야 하나.
떠올리고도 웃지 못하는 그 추억들이 너무 아깝다.

메마른 그 길을 눈물로 적시며 걷던 날들이 있었다.

이제는 빗물 가득 머금은 길을 메마른 마음으로 걷는다.

어떤 것이 그나마 행복에 가까운 걸까, 결론이 나지 않았다.

———

여기저기 사랑이 가득해서

꼭 사랑하는 사람 없어도 충분히 사랑하며 사는 기분이다.

그래서 외로워도 외롭지 않은 밤.

———

요즘 자기 전에 라디오를 틀어 놓는다.

근데 매번 한 채널에서 내가 좋아하는 곡만 쏙쏙 들려주어

나만 좋아하는 줄 알았던, 하나도 유명하지 않은 그 음악들을.

아무 말 하지 않아도 누군가는 나의 마음을 알아주는 것 같은

기분이 들어 위로 받는 밤. 어제나 그제나 속상한 건 마찬가지

인 인생이지만, 그래도 위로 받아 살 만한 밤.

비 오는 날엔 혼자 걸어도 외롭지가 않아.

처음부터 외로움은 인간 모두의 몫이었던 것 같아서.

내가 졌다.

"앞으로 살면서 너만큼 날 사랑해줄 남자 또 있을까?" 하는 나의 말에 "너만큼 사랑하게 될 여자가 또 있을까?" 하고 너는 답했다. 그의 대답에 이 연애에서 내가 조금은 이기고 있다는 기분이 들었다. 시간이 흐르고 다른 모든 연애와 마찬가지로 사랑은 끝이 났다. 너는 다른 여자와 잘도 사랑하고 있다는 소식, 그리고 나는 지금 그 누구도 사랑하지 않는다.

———

사랑니 같은 사람이었다. 널 떼어내던 그때에 10년 넘게 나다 말다 하던 사랑니를 뽑아버린 게 참 다행이었어. 뽑고 나선 염증에 아파하고, '잘 자라던 이를 괜히 뽑았나?' 몇 날 며칠을 후회했다. 한 한 달 지났나? 잇몸에 살이 차오르고……. 아, 내게 사랑니는 처음부터 없던 이 같아. 돌아보면 늘 아프게만 하고 좋을 것 하나 없던 이. 진작 뽑아버렸어야 했는데. 나중에 나이 들어 모든 이가 흔들린다 해도 나는 다른 건강한 이들을 그리워할 테지, 사랑니 너를 그리워할 것 같진 않아. 그러니까, 사랑이라 착각한 사랑니 같은 사람이 있었다.

스물아홉 연말 어느 날의 일기.

금방 나의 빈자리를 다른 것으로 채워버린 그를 보면서, 상대적으로 불행해 보이는 나 자신이 싫어 나도 이것저것 채워보려 노력하던 때가 있었다. 그런데 한 해가 다 저물어가니 문득 깨닫게 된다. 수년간 채워져 있던 것을 금방 다른 것으로 채우려고 하면 안 된다는 것. 비우지 않은 상태에서 꾸역꾸역 다른 걸 채워 넣다 보면 결국 이전 것과 새것이 엉망진창으로 섞인 혼탁한 나 자신만이 남게 된다는 것.

다행히 나 이제 다 게워낸 것 같으니 새해엔 새것으로, 이왕이면 더 좋은 것으로 차곡차곡 채워 나가야겠다. 언젠가 그가 엉망으로 뒤섞인 탁한 제 자신을 깨닫는 불행을 겪길 작게나마 바라며. 메리 크리스마스!

좋아하는 사람을 떠올리기 딱 좋은 그런 젖은 밤이었는데,
좋아하는 사람이 없어서 '아, 좋아하는 사람이 있었으면
좋겠다.'고 생각한 그런 밤이었다.

스물아홉 타령.

인생 참 엿 같다고 생각하던 스물아홉의 어느 날.

내 인생은 뭐 같은데 눈앞의 파리는 눈물겹게 아름다워서

띄어쓰기도 할 겨를 없이 메모장에 적어 놓은 말.

인생이동화같지않으니사진이라도동화같이남기어야지.

기분 좋은 찬 공기가 머리칼 사이사이를 스미고, 거리엔 음악
이 흐르고, 아이들은 새 지저귀듯 웃는다. 나는 기꺼이 2유로
짜리 동전을 악사의 기타 케이스로 던졌다.

파리의 한 겨울날, 내게 가장 완벽했던 시간을 나는 고작 동전
몇 닢에 샀다.
내가 이 도시를 사랑하는 이유, 비싸지 않은 낭만.

———

낮 동안 세상 비추느라 지친 해는
이제 바다에 몸을 좀 누이려고 해.

하나같이 고운 골목들의 이름을 모두 외지 못하는 것이 속상해.
그냥 빨간 옷의 할머니가 걷던 길, 우산 쓴 연인이 걷던 길,
파란 대문이 유독 예뻤던 길, 비에 젖어 금빛으로 반짝이던
그 길, 이렇게 이름 짓는 수밖에.

———

따가운 햇살에 눈이 부셔 네가 잘 보이지 않아도
마주하고 있음으로 충분하여,
미간은 찌푸리고 있으나 입꼬리는 올라간
묘하게 웃는 얼굴로,

———

이 시간쯤 깔리는 그림자 카펫. 나뭇잎 스삭이는 소리 들으며,
머리칼 사이사이로 스며드는 바람 느끼며, 사람들 발길 따라
이는 모래바람에 몇 번 콜록콜록. 그러다 고개 들면 바로 위에
우뚝 에펠이 있고, 하나도 평범하지 않은 오후.

숨은 행복 찾아 구석구석 보물찾기를 하는 기분이야.

나, 보물 열 개를 찾으면 네게 아홉을 줄게.

무심코 걷던 길이 좋아하는 길 되던 날.

어딘지 찾아가라면 못 찾아가지만, 어쩌다 다시 마주했을 때

"어, 그때 왔던 그 길인데." 하고 생각하게 되는 그런 길.

그렇게 몇 번 카메라에 담기면 그 후로 그 길은

이제 좋아하는 길이 되지.

사랑한다면 너의 모든 면을 하나도 빠짐없이 사랑해야 한다고 생각했었는데, 그건 너에 대한 사랑을 증명하고 싶어 안달나 있던 나의 조급함이었던 것 같아. 이제는 조금 내려놓기로 했어.

나, 너의 낮보다는 밤이 좋다. 넌 반짝이는 밤에 훨씬 예뻐.

그래, 솔직히 넌 흐린 날엔 좀 별로야.

중요한 건, 그렇다고 너를 사랑하지 않는 게 아니라는 거야.

사진을 좋아한다 하기엔 남 사진엔 별 관심이 없고, 여행을 좋
아한다 하기엔 또 너무 집순이고.

나는 뭘까. 뭘 좋아하는 걸까. 나는 왜 사진을 찍을까. 요 며칠
생각해봤다.

그러다 문득 색이 가득한 파리의 건물이 좋고, 지나다니는 사
람들이 좋고, 건물 벽에 붙어 길 이름을 알리는 표지판이 좋고,
예스런 가로등이 좋고, 창 앞마다 놓인 화분은 당연히 좋고.

아, 나는 사소한 것들을 사랑해. 그래, 그것들을 담으려 사진
을 찍는다.

———

고개 들어 보지 않아도 별이 내게 오는 그런 밤이었다.

책 속에서나 읽었던 쏟아지는 별이란 것이 어떤 건지 이제야 알았어.

이렇게 많은 별을 보는 게 처음이었는데, '다음에 또 이런 별을 보고 싶다.'가 아니라 '평생 이번 한 번이어도 충분하다.'는 느낌.

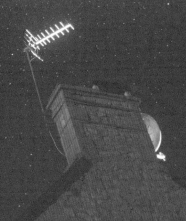

언제부턴가 반짝이는 에펠보다 그를 바라보는 사람들이, 박물관의 수많은 그림보다는 길거리 사람들의 이야기가 더 궁금해졌다. 그렇게 한 장 한 장, 한 사람 한 사람 사진에 담긴다. 내가 어떤 날, 어떤 생각을 하고 있을 즈음에 내게 담겼던 사람인지, 나는 나름 그들의 이야기를 가지고 있다. 굳이 글로 적어 보관하지 않아도 사진 한 장에 아, 하고 피어오르는 그날, 그곳의 향. 아무리 펼쳐보아도 옅어지지 않는.

비가 와도 속상하지 않아.

해가 지고 나면 더 엄청난 밤이 찾아오니까.

기다리는 건 어렵지 않아.

내가 어쩌지 않아도 시간은 흐르니까.

맑은 날 오후에 빛이 그리는 그림을 좋아해.

———

해가 퍽 짧아졌다.

나는 아직 뜨거운데, 여름은 가려나 보다.

사람 많지 않은 한적한 곳이 좋다. 사람이 싫어서가 아니다.
북적북적한 곳과는 달리 주변 사람들을 오랜 시간, 깊이 볼 수
있어서다. 그러니까 옆 테이블의 책 읽는 그녀를 계속해서 바
라보는 것은 아니지만 함께, 또 각자 있던 시간 동안 그녀의
존재를 인식하고, 굳이 고개 돌려 보지 않아도 그녀의 떠남을
인지하는 것. 그런 비슷한 느낌이 좋아서다.

내가 한 도시에 오래 머무르려는 이유.

아쉽지 않을 만큼 원 없이 바라보고,

들려오는 소리 하나하나,

불어오는 바람 한 올 한 올 새겨 느끼고 싶어서.

그럼에도 늘 아쉬움이 남기 때문에,

그게 다시 내가 이 도시에서 살아보고 싶은 이유.

우연한 상영.

거리는 불시에 음악을 선물하고, 잦은 낭만을 선물하고,

나는 그렇게 선물만 받으며 이곳에 닿았다.

———

눈을 기대한 겨울날, 눈 내리지 않아도 내가 상심하지 않는
이유는 언젠가 눈 사락사락 내릴 어떤 날에, 내가 이곳에
있을 거란 걸 알고 있기 때문이에요.

———

흘러가는 시간을 멈출 수가 없어서.
나라도 멈추어 서면 조금은 더디 갈까 싶어서.

파리 하늘 위 비행기는 어쩐지 계속 보고 있기가 싫다.
"이 비행기처럼 너도 곧 돌아가야 할 사람이야."라고
말해주는 것 같아서.

자꾸만 멈추게 되는 순간들,

그 순간들이 모여 어떤 하루가 되었다.

걸어 나아감이 아니라 멈추어 쉼에 내게 온 소중한 하루.

———

마지막 밤에는 당연히 에펠을 보러 갔다. 동네 마켓에서 맥주 한 캔, 작은 와인 한 병 사들고. 하염없이 쳐다보고, 사진 찍고, 마시고를 반복했다. 어느덧 12시가 다 되어서 어쩔 수 없이 숙소로 돌아가려는데, 한 걸음 내딛고 돌아서서 바라보고, 또 한 걸음 내딛고 돌아서서 사진에 담고. 몇 번을 그리했는지 모른다.

에펠을 등지고 걸으며 에펠을 등진 적 없었다.

여행의 정체.

그래도 꽤 현실적이었던 어젯밤 꿈.

꼭 완벽에서 출발할 필요는 없다.

미숙하기에 채워나갈 것이 많아 더 소중해지는 시간들.

———

현실에서도 파리 사진을 한참 들여다보고 있자면 이곳이 꿈
속이고, 파리에서도 돌아갈 생각에 두 눈이 질끈 감기면 그곳
이 금세 현실이고 만다.
어디까지가 꿈이고 어디까지가 현실인지 그 경계가 흐릿해
진다.

많은 밤이 지나 내가 담은 이 사진 속 공간에 정말 내가 있었
던 것이 맞는지 아득해진다. 사진 속 나의 모습과 지금 나의
모습의 괴리가 차츰 깊어지는 시기가 왔고. 그렇게 이젠 기억
도 잘 나지 않는 스물셋의 유럽여행처럼, 나의 지난 파리도 하
루마다 조금씩 옅어지겠지.

그래도 다시 다음 여행 준비에 시동을 걸어 설렘과 긴장으로
하루하루 지내다 보면 나도 모르는 사이에 출국 전날에 가닿
아 있을 거다. 그러니까 이제 다시 짙어질 차례.

지난 여러 번의 파리여행 동안 모두 같은 동네에
머물렀다.

나만 아는 골목이 있다. 이 길로 가면 세 번째 집에
파란 대문이 있다는 걸 안다. 매일매일 쳐다보게
되는 꽃집이 있다. 매일 같은 시간, 같은 자리에서
에스프레소를 마시는 그 아저씨 얼굴을 안다. 날
유디(yudi)라 부르던 그 직원은 오늘 쉬는 날인가
생각한다.

나는 다음 여행에도 당연히 그 동네에 간다. 어떤
것들은 그대로일 테고, 어떤 것들은 바뀌어 있겠
지. 그래도 파리는 대체로 그대로일 것을 안다.

애인과 헤어지고 다시는 그런 사랑을 받지 못할 것 같은 막막함에 많이 울고, 궁상맞게 그렇게 지냈다. '다시 그런 사랑을 할 수 있을까.'라는 자기 질문에는 별 무서움이 없었는데, '그 사람만큼 날 사랑해주는 사람이 또 있을까.'라는 생각에는 늘 눈물부터 뿜어져 나왔다.

그런데 어제 깨달았다. 그 사람이 나를 사랑해주기 이전에 내가 이미 사랑스러운 사람이었음을. 내가 못나고 형편없는데 기적같이 그가 날 사랑한 것이 아니라, 내가 사랑스러운 존재였기 때문에 사랑받은 것이라는 사실을.

네 사람이 새벽녘을 걷는다.

별을 보며 "여기 사람들은 하늘에 보물을 숨겨놓고 사네." 하
고 중얼거리는 나의 말에 아주 경쾌하게 하나가 말을 보탠다.

"방금 되게 영화 대사 같지 않았어요?"

그렇게 한순간이 영화가 되었다.

새벽 늦도록 이 자리에서 별을 담는 건 우리 넷,

그리고 국적 모를 여행객 또 하나.

꽤 오랜 시간이 지나 "이만 장소를 옮길까요." 하고 우리는

먼저 그 자리를 떴고, 그때 처음으로 그 여행객과 눈이

마주쳤다.

"오흐부아, 굿바이."

서로 모르는 사이지만 자연스럽게 오가는 끝인사가

나는 좋았다.

눈앞은 별, 마음은 천공의 성, 함께하는 좋은 사람들.

여기에 모르는 이와의 짧은 인사.

몽생미셸의 여운은 모두 그날 밤으로 남았다.

———

함께하면 서로 사진 찍어주며 깔깔거리는 시간이 많고,

혼자이면 홀로 사진 찍고 미소 짓게 되는 시간이 많고,

고작 그런 정도의 차이다.

———

이끌어 나가기도 하고, 때로는 한없이 기대기도 하고,

강자였다가 약자였다가, 결국엔 강자도 약자도 아니게 되는

시간.

둘 모두에게 낯선 곳이기에 가능한 것.

알아서 BGM이 깔리는 도시들이 좋다. 그런 도시들을 여행하며 좋은 건 일상 속에서 굳이 내 귀에 이어폰을 욱여넣지 않아도 적당한 곳에서, 적당한 시간에 배경음악이 들려온다는 거다. 메트로에서, 어느 길목에서, 강변에서.

잔잔한 강물을 바라보다 그 잔잔함에 흥미를 잃을 뻔할 때쯤, 어디에선가 음악소리가 들려온다. 눈과 귀가 심심할 틈을 주지 않는 곳이다.

스물여덟, 그때에는 떠날 생각, 떠날 용기 하나도 없었지. 떠나는 사람들을 보며 '저들은 어떻게 저런 용기가 났을까.' 하고 타인의 용기를 부러워만 했다. 그런데 생각해보면 그때 나는 참 행복했던 것 같아. 현재로도 충분해서, 행복이 충만해서 굳이 떠날 필요가 없었던 거지.

돈도 모이는 때가 있듯, 용기도 생기는 때가 있나 보다. 돈은 꾸준히 계획적으로 모아야 하는 한편, 용기는 어느 때가 되면 불쑥불쑥 생기기도 하여서. 그런데 꼭 좋기만 한 때에 생기는 건 또 아니어서. 인생에 다시없을 실연을 당하거나, 다니던 직장에 더 이상 정이 안 간다거나, 마땅히 떠나는 것 외에는 날 즐겁게 하는 것이 없다거나 하는.

한 해 한 해 용기가 커질 일만 쌓여 오늘에 이르렀는데, 마침 4년 다닌 직장은 권태롭고, 내 나이는 서른이 넘었고, 결혼 뭐 이런 생각을 버리니 돈, 시간에 대한 강박에서 자유로워지고. 그런 사소한 운들이 포개져서 하나의 작은 용기가 되었다. 내 자체가 원래 용기 넘치는 사람인 것도, 어느 날 없던 용기가 갑자기 짠— 하고 생겨난 것도 아니야. 어찌 보면 죄다 부정적인 일들만 겹겹이 쌓아올려져 떠나겠다는 용기, 아니 어쩌면 '도망칠' 용기에 가닿은 거지.

그래서 그저 부럽다는 말들이 조금은 불편하게 들리는지도 몰라. 부러우면 너희도 스물아홉에 오래 사귄 남자랑 헤어져라! 너희도 직장생활이 뭣 같아라! 그럼 떠날 용기가 생긴다! 이렇게 말해줄 수는 없는 거잖아.

"je vais à la tour eiffel. vous venez avec moi?"

프랑스어 초보반 수업 중,

별것 아닌 말인데 왠지 낭만적이게 들려서 몇 번을 반복해서
읽은 말.

'꼭 써먹어야지.' 생각하고 메모장에 꼭 적어두었던 말.

"나 에펠탑에 가요. 저와 함께 가실래요?"

파리에 온 지 수일째. 아직 7시를 온전히 7시로 살지 못하고, 새벽 2시를 온전한 새벽 2시로 살지 못하는 나. 나의 시계는 두 개로 흘러가고, 나와 가까운 사람들도 제2의 시간을 덧붙여 살게 되었다. 두 개의 시간 속에 살아간다는 것.

구름과 노을을 물감 삼아 바람이 그려놓은 하늘.

늘 주인공이던 에펠도 하늘 고운 날엔 그 존재감을 잠시 숨기고.

한가득 비 머금어 먹색으로 질려 있던 구름은 그날 비를
뱉어내지 않았다.
우산 없이 걷던 사람들에게 미움 받기 싫었나.

———

택시 타고 집에 가는 길, 기사님과 이런저런 이야기를 나누다
"오늘 비 참 예쁘게 오는 것 같아요." 하고 말하니 이렇게 답
하셨다.
"수줍어서, 봄이 오는 게 수줍어서."

———

그 어디도 섭섭해 말라고 봄은 구석구석 빠지지 않고 찾아와.

꽃이 피어서 함께 피어난 장면들.

———

한없이 추웠다가 또 따뜻했다가 내일 모를 날씨가 이어지고,
푸른 어느 하루든 흐린 어떤 날이든 관계없이 무조건 예쁜 밤
이 매일매일 찾아오고.
고맙게도 매일매일.

갑자기 비가 쏟아졌다. 내리는 비가 예뻐 테이블 위로
타닥타닥 내리는 비를 담았다.

쭉 무표정이어서 무섭다고 생각했던 카페 직원 언니가
밖으로 나와서는 오는 비를 휴대폰 카메라에 담았다.

같은 마음이었다.

너는 나한테 좋은 것만 주네.

나는 뭘 주지 잠시 고민하다가 너를 예쁘게 담기로 했고.

가운데 자리 잘 잡고 앉아서 맥주를 땄다.

옆에 앉아 있던 국적 모를 커플 중 남자가 내게 시간을 묻는다.

나는 시계를 들어 시간을 알렸다.

이어 남자는 정각에 무엇무엇을 하지 않느냐고 내게 물었다.

"응. 반짝반짝."

남자는 빠짜빠짜, 따라 말하곤 다시 자신의 연인과 에펠을

바라보았다.

———

그리고 싶은 장면을 자꾸 만나 그림 그리는 사람이고 싶던 날.
순간에, 쉽게 담아버리기엔 아까운 장면들.
내가 그림을 잘 그리는 사람이었다면 연필과 종이를 꺼내어
눈앞을 오랜 시간 사각사각 담았을 거다. 대신 꺼내든 카메라
의 찰칵 소리가 이날 따라 경박스럽게 느껴졌다.

낮과 저녁 사이, 가는 해의 고운 빛은 에펠 혼자 다 전해 받나 봐.
그 빛 모두에 나눠주려 밤마다 반짝이고.

좋아하는 식당에 갔다. 식사를 마치고 직원이 "디저트나 커피를 원하니?" 하고 물었다. 난 그냥 계산서를 달라고 말하려고 했다. 직원은 눈썹을 찡긋, 장난스런 표정을 지어 보이고는 못 들은 척 식당에 있는 모든 디저트와 음료 메뉴를 읊었다.
별것 아닌 작은 농담에 요 며칠 힘들었던 일이 잊힌다.
파리 와서 힘든 건 한국에서도 힘들게 하던 것들이 공간을 넘어 계속되는 것뿐이지 파리가 내게 상처준 일은 없었다. 요즘 따라 이 먼 거리가 위로가 된다.

평소와 달리 인스타그램에 사진을 6장이나 업로드했다. 그리
고 얼마 안 있어 파리에서 만났던 친구에게서 연락이 왔다. 내
가 사진을 많이 올리는 날은 감정의 폭이 좀 더 크게 울렁이는
날인 것 같다고. 오늘은 그게 행복의 감정이길 바란다고.
그리고 요동치던 마음에 잔잔한 행복이 왔다.

지난 여행 부키니스트에서 미키를 좋아하는 동생에게 줄 디즈니 동화책 하나를 샀다. 우리 엄마도 태어나기 전에 만들어진 그 책에는, 주인이었던 누군가의 이름이 써 있었다. 글을 배우기 시작했을 무렵의 글씨체로.

부키니스트에서는 누군가의 과거를 살 수 있다. 이제 누구의 과거를 가져와 볼까, 그렇게 설레는 마음으로 부키니스트를 걷는다.

———

자주 가는 카페의 오전조 직원 언니가 바뀐 지 좀 됐다.
바뀐 직원은 주문도 엄청 늦게 받으러 오고 늘 무표정이고
커피도 탁 놓고 훅 가버리는 편이었다.
얼마 전 또 그 카페에 가서는 '오늘은 언제 주문을 받으러
오려나.' 하고 체념한 듯 앉아 있었다.
그런데 눈앞에 탁, 하고 커피가 놓인다.
엇? 놀라 고개 들어 보니 그 직원이 '이거 시킬 거였지?'
하는 눈빛과 함께 싱긋 웃는다.
나는 처음 보는 그 미소가 좋았다.

———

한 곳에 오래 머물러서 좋은 점.

어떤 날엔 그저 지나치던 것들을 멈추어 담고, 또 어떤 날엔
매번 멈추어 담던 것들을 당연한 듯 지나칠 수 있는 거.

늘 지나치던 가게의 꽃 장식이 예뻐 한참을 담고, 한 번도 그
냥 지나치지 못했던 에펠을 당연한 듯 지나 보내는 그런 하루
가 있는 거.

이제 미치도록 사랑하는 것 같지는 않은데
너를 떠나 너를 그리워하고 싶지가 않아서,
그래서 나는 앞으로도 네 곁에 있을 거야.

펑펑 눈 내리던 날이었는데
에펠탑 주변만 비가 내렸다.
따뜻한가 봐, 너.

———

바삐 살던 지난날, 해진 후의 정각엔 늘 조바심만 났었다.

아 벌써 몇 신데, 왜 난 이것밖에 공부하지 못했지, 이것밖에 처리하지 못했지? 내게 저녁 시간의 정각이란 보통 그런 것이었다.

그런데 여기에서는 해가 지면 저 예쁜 것에 불이 들어오고, 정각이 되면 더한 조명으로 반짝반짝 빛이 나. 사람들은 00분이 되길 조용히 기다렸다가, 반짝이는 순간 모두 와! 하고 환호성을 지른다.

―――

나는 그게 좋았다. 모두들, 어찌 보면 단순한 이 반짝임에 아주 쉽게 행복해한다는 것이. 그동안 고통스러웠던 정각의 순간이 여기서는 이렇게 간단히 행복해질 수 있다는 것이.

이제, 길을 걷다 문득문득 시간을 확인하고 정각이 멀지 않다면 에펠 쪽을 보며 생각한다.

'곧 에펠이 반짝이겠네.' 하고.

이제는 눈앞에 에펠이 없어도, 해진 후 정각이 아프지 않다.

'지금쯤 에펠은 반짝이고 있겠네.' 하고.

―――

늘 걷던 길을 걷다가 지난겨울,
그때 함께 걸었던 아이가 떠올랐다.
이 길 걸으니 그 아이가 생각난다고,
같이 있던 아이에게 말했다.
한 계절 정도 지나 이 길을 지날 때에는
나 오늘 함께 걷던 이 아이를 떠올릴 것이다.

———

남는 술이 있는지 묻는 사람과
한 병 흔쾌히 내어주는 사람들.
크게 음악을 틀어놓은 사람과
처음일 그 노랠 함께 듣는 사람들.
우리는 서로 모르는 사람들.

———

밤공기 한 모금에 흐트러지는 생각들.
그렇게 흔들리는 마음 따라 흔들려버린 사진들.

어릴 적 어느 날 엄마가 짠- 하고 디즈니 만화 비디오테이프를 사왔다. 다른 테이프들은 모두 검정색이었는데 디즈니 테이프는 노란색이어서 그 후로 엄마가 무얼 사들고 들어오는 날이면 '노란 비디오가 있으면 좋겠다.'며 설레던 적이 많았다.

집으로 돌아온 엄마 품에 네모난 노란색 테이프가 안겨 있던 그 장면을, 그때의 기쁨을 기억한다. 빨강과 초록의 겨울 크리스마스가 있다면, 그날들은 노랗고 네모난 뜻밖의 크리스마스 같은 느낌이었다.

한번은 엄마와 인어공주를 봤다. 인어공주가 예뻐서 좋았고,
노래를 잘해서 좋았고, 결정적으로 안데르센의 인어공주와
달리 해피엔딩이라 또 좋았다. 어린 나이에 슬픔을 예상하다
가 맞이하는 뜻밖의 해피엔딩이 그렇게 좋을 수가 없었다. 그
저 아프면 울고, 무서우면 울고, 속상하면 울던 어린 시절이었
는데, 그날 아마 태어나 처음으로 '감동하여' 눈물이 났던 것
같다. 슬픈 일이 아닌데 엄마 앞에서 우는 것이 창피해서 눈물
을 꾹꾹 참아내던, 거실 소파 위 그 시간을 기억한다.

'디즈니' 하면 조금만 곱씹어도 정확히 생각나는 아주 오래된
순간들이 있다. 서른셋의 내가 문을 열고 들어올 엄마의 선물
을 기다리고, 인어공주를 보며 울던 그날을 잊지 않게 하는
곳. 디즈니랜드에는 울음을 터뜨리는 어른들이 많다.

이 도시를 사랑했다고 말하는 날은 오지 않았으면 한다.

창밖의 눈 쓸어 담는 소리에 잠에서 깼다.
오늘의 알람은 평소보다 낭만적이다.

헤어진 날이야 어느 날 하루였지만, 여러 날 동안의 수없는 헤
어짐이 있었다. 헤어지자고 이야기한 그날, 후회하고 다시 연
락한 며칠 뒤의 어느 날, 어쩌든 안 될 걸 알았던 또 어느 날,
괜찮다고 생각하며 수일 보낸 후에 술기운에 가득 차 너에게
전화 걸었던 어느 날, 낯선 사람과의 소개팅 자리에서 너를 떠
올린 또 어느 날, 너에게 새 사람이 생긴 걸 알았던 그날, 알면
서도 네게 전화하던 어느 날. 재회하는 꿈을 꾸었던 다음 날,
헤어진 날로부터 한 달, 두 달, 그러다 1년. 나는 매일을 너와
헤어져야 했다.

———

정말 너와 헤어졌다고 생각했던 건, 꿈속에서도 우리가 재회하지 않았을 때. 오랜만에 반가운 얼굴의 너를 보고도 다시 만날 사람이 아니라는 걸 알았을 때. 꿈속에서조차 같은 문제로 싸우고 다시 이별을 고했을 때. 잠에서 깨 멍하니 천장을 바라보다가 '아, 이제 잠든 나조차 너를 사랑하지 않는구나.' 하고 깨달았을 때, 그때였다.

10년 전 첫 유럽여행을 하고 돌아와 나는 타인이 찍은 에펠탑 사진을 보지 않았다. 돈 없는 학생시절이라 다시는 파리 땅을 밟지 못할 줄 알았으니까. 나는 다시 가지 못할 파리에 남들이 가 있는 게 심통이 났으니까.

그 못된 마음을 여러 해 품다가 나는 다시 파리에 갔다. 그래도 남들이 담은 에펠이 여전히 미워서 내가 다시 가고 다시 가고 했다. 반드시 내가 가서 담아야 했다.

———

남들이 담은 에펠이 보기 싫다는 꼬인 심보 덕에, 어쩌다 보니
나는 파리의 오늘에 살고 있다. 이 삶이 계속되지 않을 걸 알
아서, 나는 또 남들이 담은 에펠이 서글프다.

나 아까 멀지 않은 미래에 이곳 떠날 날을 떠올려봤는데, 그때
엔 내가 담은 에펠조차 밉고 서러울 것 같아. 그래서 나는 이
사진이 미리 슬프다.

좋아해서 왔어요, 파리.

앞으로도 계속 하고 싶은 대답.